EL ZOOLÓGICO DE CALZONCILLOS

A ELIZABETH

Originally published in English as *The Underpants Zoo.*

Translated by Juan Pablo Lombana.

ISBN 978-0-545-60786-5

12 11 10 9 8 7 6 5 4 3 2 1 13 14 15 16 17 18/0

Printed in the U.S.A. 40

First Spanish printing, September 2013

The display type was set in Circus Mouse.
The text was set in Linotype Conrad.
The art was created using acrylic paints.
Book design by Whitney Lyle

EL ZOOLÓGICO DE CALZONCILLOS

Escrito e ilustrado por

BRIAN SENDELBACH

SCHOLASTIC INC.

EL ZOOLÓGICO DE CALZONCILLOS

acaba de abrir sus puertas.
Pero dicen que a los animales
se les ha zafado una tuerca.

Ven pronto y descubre
a qué se debe tanto alboroto.
Por qué llevan los animales
calzoncillos como nosotros.

EL ZOOLÓGICO DE CALZONCILLOS

El **LEÓN** lleva uno
que hace juego con su melena.

El **CAMELLO** dice que el suyo
se le llena siempre de arena.

Las **ZEBRAS** combinan sus rayas
con calzoncillos de estrellas.

La mamá **LEOPARDO** prefiere
lunares en los de ella.

Los calzones de la **HIPOPÓTAMO**
tienen corazones rosados.

El ELEFANTE necesita
unos que sean muy holgados.

Los calzoncillos del CANGURO
le cubren hasta las rodillas.

Los que usan los **PEREZOSOS**
previenen las pesadillas.

Como son buenas amigas,
las **SERPIENTES** comparten un par.

Si te burlas de la **COCODRILO**...
¡seguro se va a disgustar!

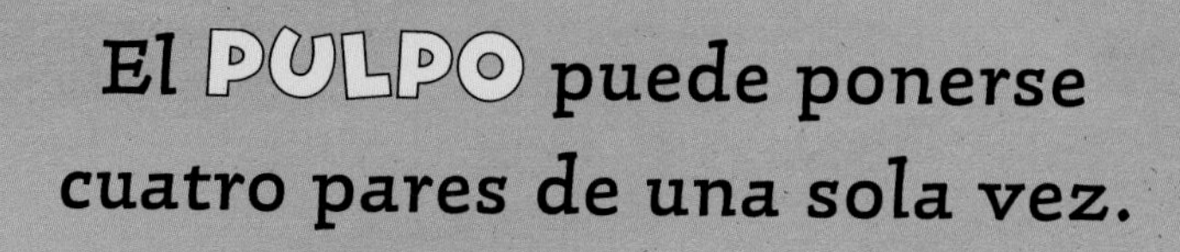

El PULPO puede ponerse
cuatro pares de una sola vez.

Con sus calzoncillos de invierno,
los **DELFINES** parecen bebés.

Los **PINGÜINOS** enfrían
sus calzoncillos en el congelador...

Mientras que los MONOS con su estilo
¡causan un verdadero furor!

No es que el **OSO HORMIGUERO**
se haya vuelto un bailarín,
sino que en sus calzoncillos
¡LAS HORMIGAS DAN UN FESTÍN!

El Zoológico de Calzoncillos,
lo sentimos de corazón,
ha cerrado sus puertas
hasta una nueva ocasión.

Lo visitaremos muy pronto,
¡ya lo verán!
La tarde nos quedaremos
y todos se divertirán.

EL ZOOLÓGICO DE CALZONCILLOS

CERRADO POR DESHORMIGUIZACIÓN

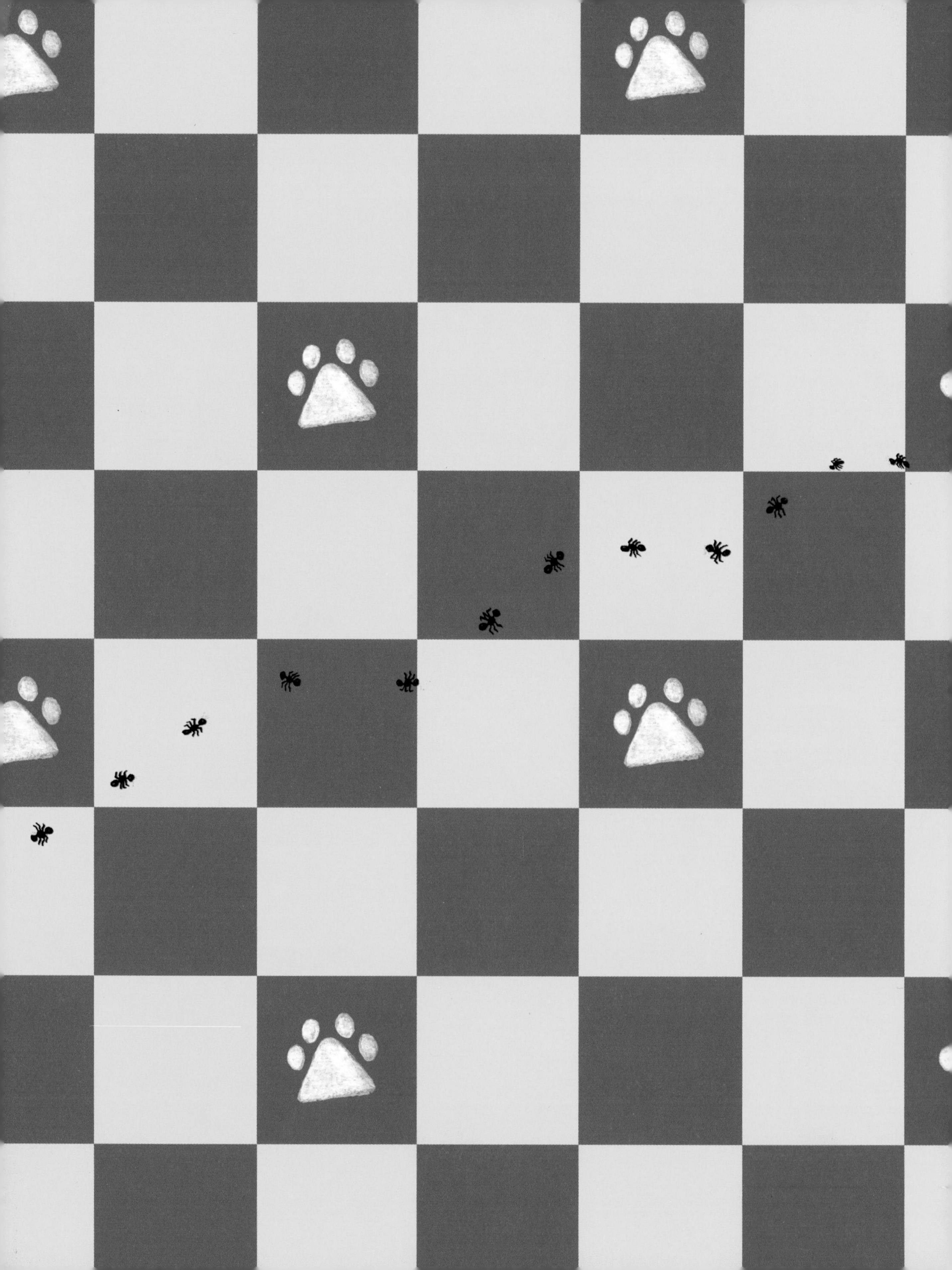

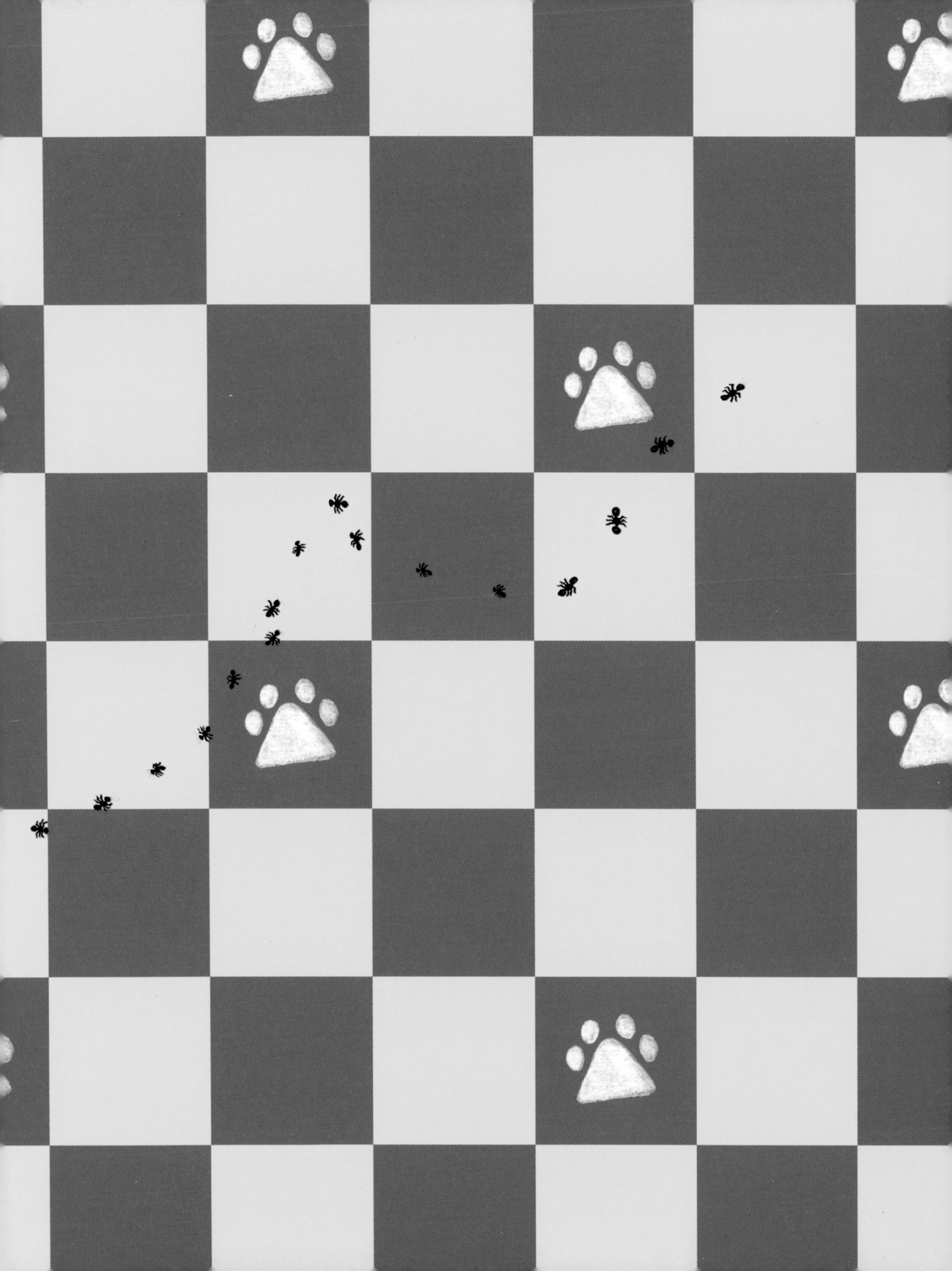

$3.99 US / $4.99 CAN
ISBN 978-0-545-60786-5

SCHOLASTIC
www.scholastic.com